Play Along Serie

Drums

Die Snare

von
Michael Claudi und Dieter Ern

LEU-VERLAG

Inhalt

1. Auflage © 2005 by LEU-VERLAG, www.leu-verlag.de, 2. Auflage 2009, 3. Auflage 2012

4. Auflage 2018
Umschlag und Lay Out: Irene Bock, Schwäbisch Gmünd
CD-Aufnahmen: Michael Claudi, Dieter Ern
Druck: TZ, Verlag & Print GmbH, Roßdorf
Printed in Germany 2018

ISBN 978-3-89775-086-9

Vorwort

Hallo und Willkommen bei einer neuen Buchreihe „Play Along Serie". Bei dem vorliegenden Buch handelt es sich nicht um eine Trommelschule, sondern um eine Sammlung von Stücken, die es Schülern ermöglichen sollen, die im Anfangsunterricht an der Kleinen Trommel (Snare Drum) erworbenen Fähigkeiten anzuwenden.

Neben der Möglichkeit, durch das Spielen zur Musik das Zusammenspiel mit anderen Instrumenten zu üben, sind die einzelnen Stücke auch zur Verwendung bei Vorspielen gedacht, da gerade die Kleine Trommel mit ihren spieltechnischen Anforderungen wie Vorschlägen und Wirbeln, die im Anfängerunterricht noch nicht beherrscht werden, als Soloinstrument für Vorspiele etwas undankbar ist.

Bewusst wurde daher auf die soeben erwähnten technischen Fertigkeiten und eine spezielle Dynamik in diesem Buch noch verzichtet, damit sich die Schüler auf die rhythmischen Anforderungen konzentrieren können.

Jedes Stück ist in zwei Versionen auf der CD zu hören, einmal mit Kleiner Trommel und in der zweiten Fassung ohne die Kleine Trommel. Zunächst sollte zu der Version mit der Kleinen Trommel geübt werden, um zu kontrollieren, ob die betreffende Trommelstimme richtig gespielt und das vorgegebene Tempo gehalten wird. Sobald das gelingt, sollte das Spielen zur Version ohne Kleine Trommel keine Schwierigkeit sein. Es empfiehlt sich, beim Üben geschlossene Kopfhörer zu verwenden, sie schützen zum einen die Ohren und ermöglichen ein gesundes Lautstärkeverhältnis zwischen Musik und Kleiner Trommel.

Diese Play Along Serie wird ergänzt mit dem Heft für Drum Set, mit zwanzig einfachen Stücken in den Rhythmen Blues Rock, Swing, Tango, Polka, Walzer, Cha Cha Cha, Shuffle und einfachen Rockrhythmen mit Achtel- und Sechzehntelnoten.

Und nun viel Spaß beim Trommeln zur Musik.

Michael Claudi und Dieter Ern

First Steps

ID 1 Mit Snare
ID 2 Ohne Snare

Written by Michael Claudi & Dieter Ern
Published by Leu Verlag

Eins, Zwei, Drei

ID 3 Mit Snare
ID 4 Ohne Snare

♩ = 100

Written by Michael Claudi & Dieter Ern
Published by Leu Verlag

Die Windmühle

ID 5 Mit Snare
ID 6 Ohne Snare

♩ = 120

Written by Michael Claudi & Dieter Ern
Published by Leu Verlag

Trommeltanz

ID 7 Mit Snare
ID 8 Ohne Snare

♩ = 132

Written by Michael Claudi & Dieter Ern
Published by Leu Verlag

Klipp Klapp

ID 9 Mit Snare
ID 10 Ohne Snare

♩ = 132

Written by Michael Claudi & Dieter Ern
Published by Leu Verlag

Italian Triplets

ID 11 Mit Snare
ID 12 Ohne Snare

♩ = 100

Written by Michael Claudi & Dieter Ern
Published by Leu Verlag

Midget's Rock

ID 13 Mit Snare
ID 14 Ohne Snare

♩ = 128

Written by Michael Claudi & Dieter Ern
Published by Leu Verlag

Kleiner Ausflug

ID 15 Mit Snare
ID 16 Ohne Snare

♩ = 100

Written by Michael Claudi & Dieter Ern
Published by Leu Verlag

Ciao Bello!

ID 17 Mit Snare
ID 18 Ohne Snare

♩. = 43

Written by Michael Claudi & Dieter Ern
Published by Leu Verlag

Funky Primer

ID 19 Mit Snare
ID 20 Ohne Snare

♩ = 80

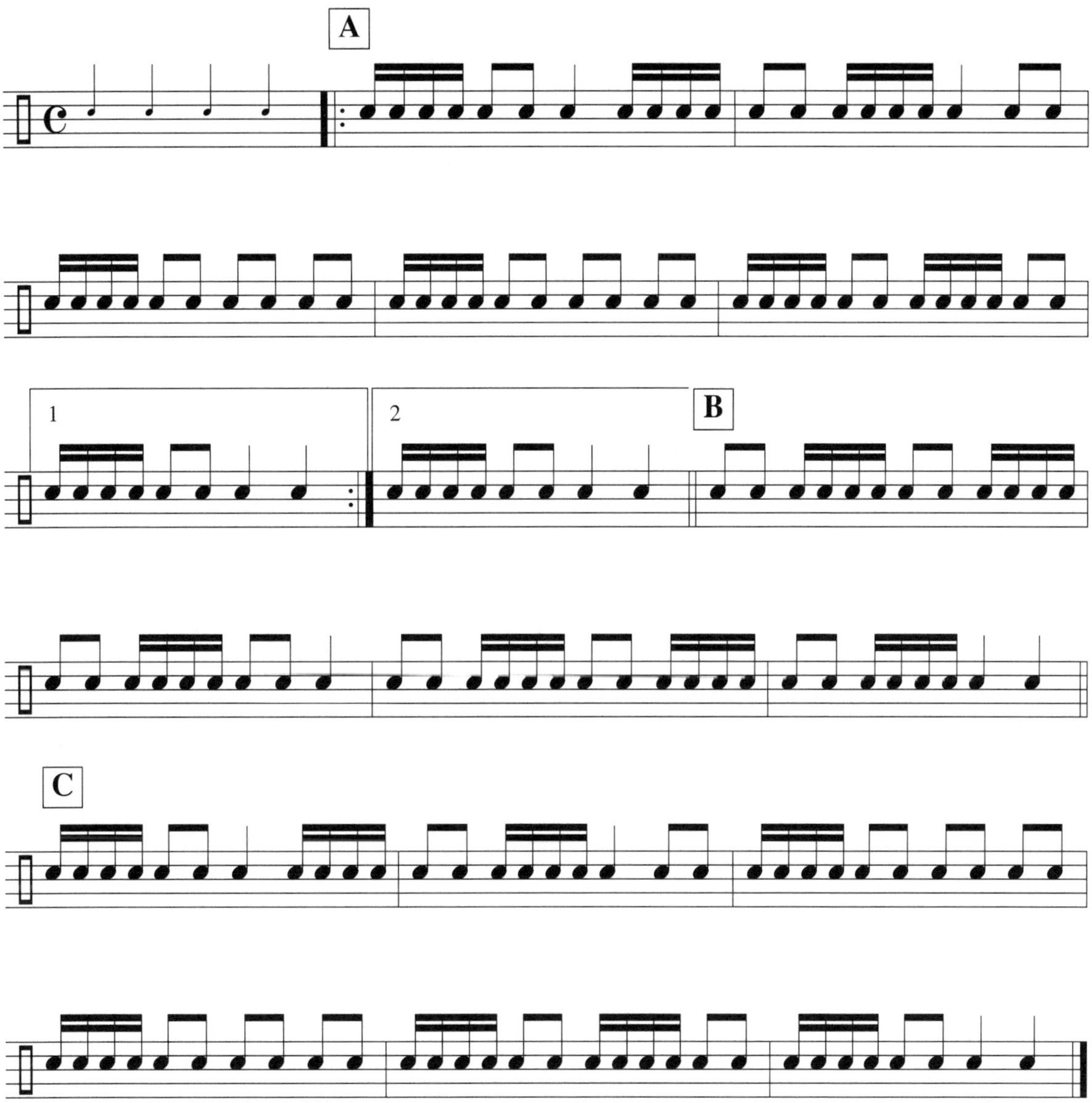

Written by Michael Claudi & Dieter Ern
Published by Leu Verlag

Alpine Village

ID 21 Mit Snare
ID 22 Ohne Snare

♩. = 50

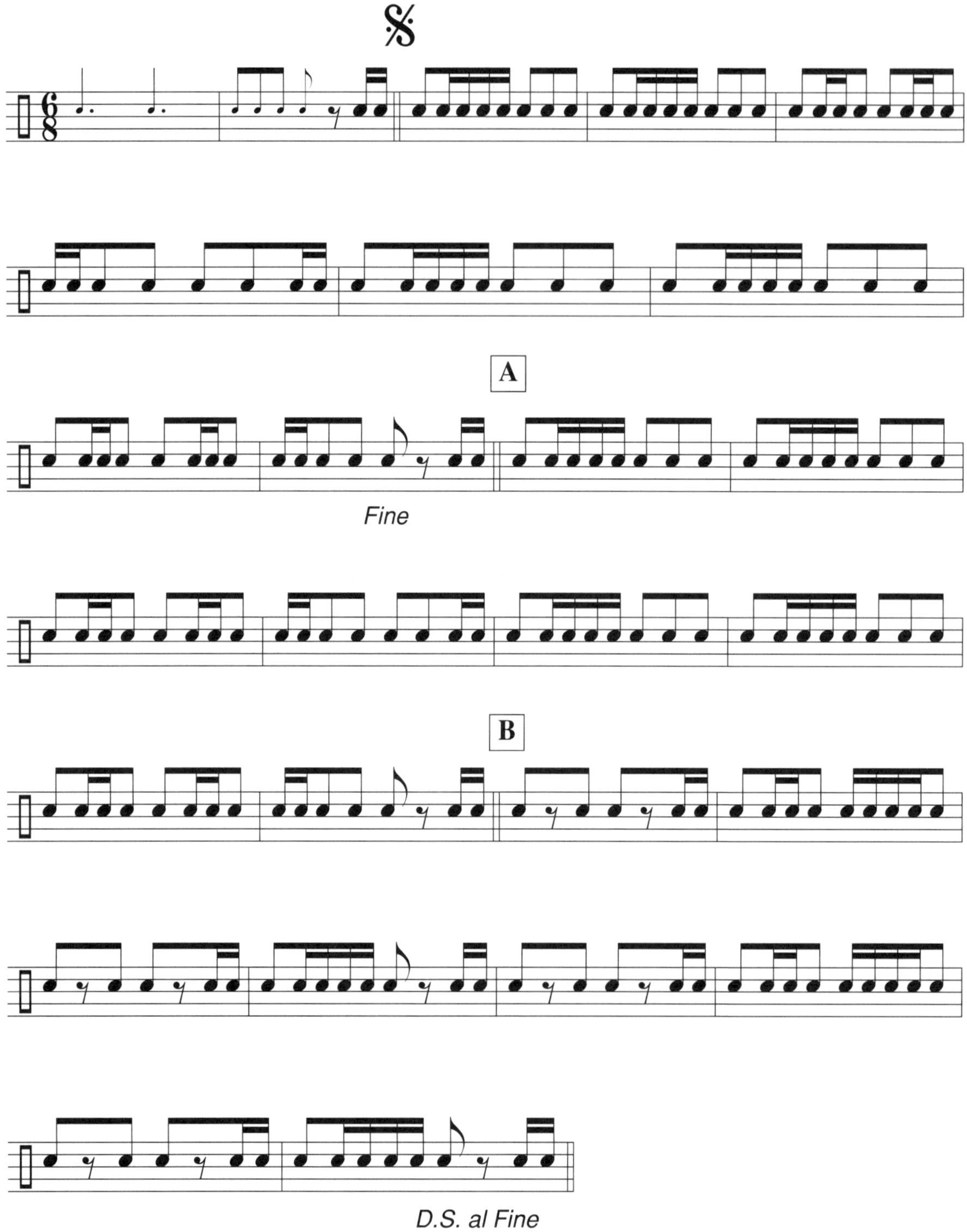

Written by Michael Claudi & Dieter Ern
Published by Leu Verlag

Benjamin's Walk

ID 23 Mit Snare
ID 24 Ohne Snare

♩ = 88

Written by Michael Claudi & Dieter Ern
Published by Leu Verlag

Reise nach Wien

ID 25 Mit Snare
ID 26 Ohne Snare

♩ = 180

Written by Michael Claudi & Dieter Ern
Published by Leu Verlag

On A Rainy Day

ID 27 Mit Snare
ID 28 Ohne Snare

♩ = 80

Written by Michael Claudi & Dieter Ern
Published by Leu Verlag

Triplet Shuffle

ID 29 Mit Snare
ID 30 Ohne Snare

♩ = 112

Written by Michael Claudi & Dieter Ern
Published by Leu Verlag

Billy's Mazurka

ID 31 Mit Snare
ID 32 Ohne Snare

♩ = 90

Written by Michael Claudi & Dieter Ern
Published by Leu Verlag

Tarantella für Tante Ella

ID 33 Mit Snare
ID 34 Ohne Snare

Written by Michael Claudi & Dieter Ern
Published by Leu Verlag

Über Stock und Stein

ID 35 Mit Snare
ID 36 Ohne Snare

♩ = 100

Written by Michael Claudi & Dieter Ern
Published by Leu Verlag

Delightful

ID 37 Mit Snare
ID 38 Ohne Snare

♩. = 69

Written by Michael Claudi & Dieter Ern
Published by Leu Verlag

Jumpin Jack

ID 39 Mit Snare
ID 40 Ohne Snare

♩ = 108

Written by Michael Claudi & Dieter Ern
Published by Leu Verlag

A Jazzy Waltz

ID 41 Mit Snare
ID 42 Ohne Snare

Written by Michael Claudi & Dieter Ern
Published by Leu Verlag

Donkey's Race

ID 43 Mit Snare
ID 44 Ohne Snare

♩ = 108

Written by Michael Claudi & Dieter Ern
Published by Leu Verlag

Soulful Snare

ID 45 Mit Snare
ID 46 Ohne Snare

Written by Michael Claudi & Dieter Ern
Published by Leu Verlag

Crocodile´s Tears

ID 47 Mit Snare
ID 48 Ohne Snare

♩ = 100

Written by Michael Claudi & Dieter Ern
Published by Leu Verlag

Sorgere Del Sole

ID 49 Mit Snare
ID 50 Ohne Snare

Written by Michael Claudi & Dieter Ern
Published by Leu Verlag

Im Schweinsgalopp

ID 51 Mit Snare
ID 52 Ohne Snare

♩ = 120

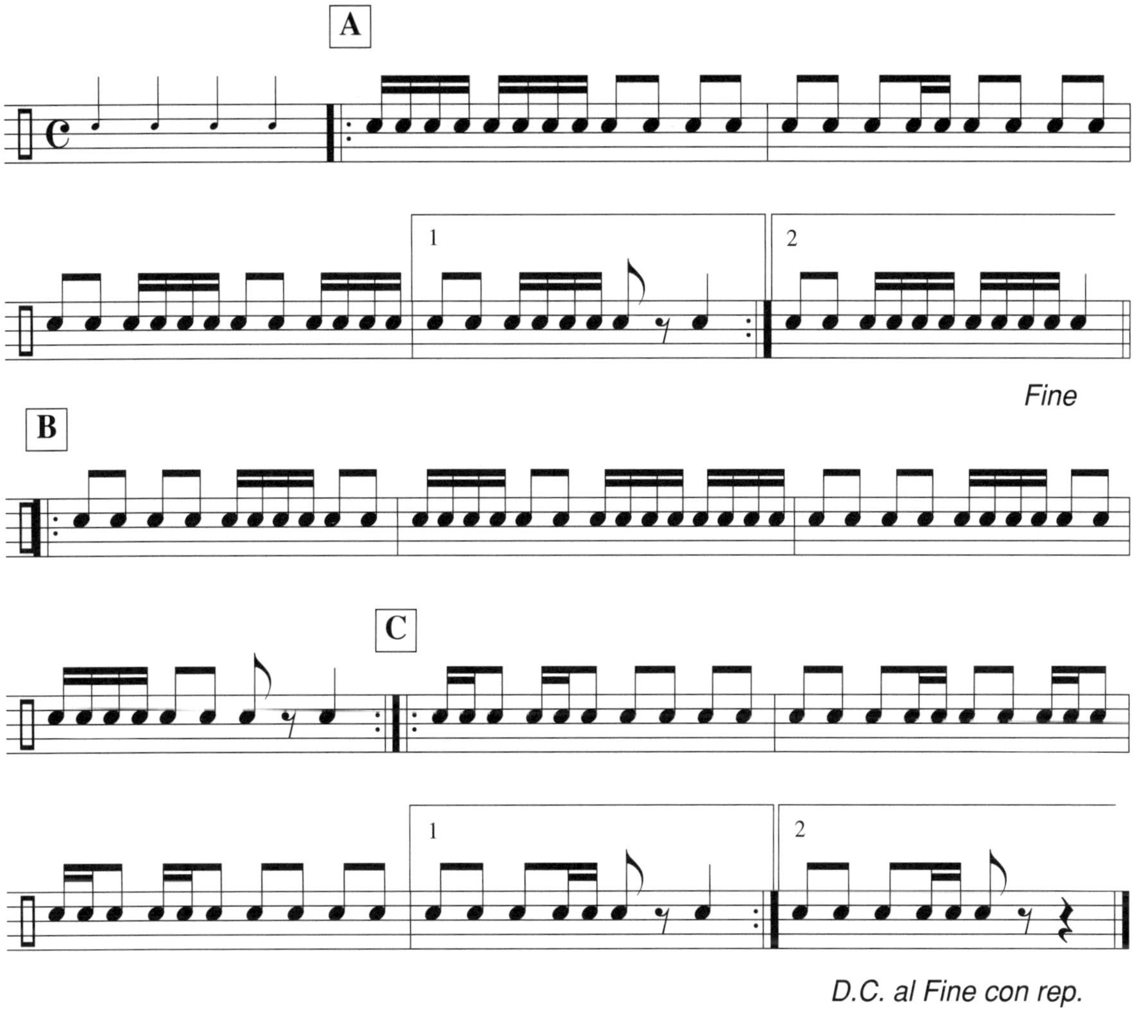

Written by Michael Claudi & Dieter Ern
Published by Leu Verlag

Attention Please

ID 53 Mit Snare
ID 54 Ohne Snare

♩ = 94

Written by Michael Claudi & Dieter Ern
Published by Leu Verlag

Finale

ID 55 Mit Snare
ID 56 Ohne Snare

Written by Michael Claudi & Dieter Ern
Published by Leu Verlag

CD-Index